음소별 조음 연습 시리즈 1

언어치료교재

숨은그림 찾기

저자 박덕연 이경화 심국희

파라다이스 복지재단

파라다이스복지재단은 장애인과 우리 주변의 소외계층에게 따뜻한 사랑을 나누고 더불어 살아가는 희망을 전하겠습니다

재단법인 파라다이스복지재단은
기업 이윤의 사회 환원을 통해 더불어 살아가는 사회를 구현하고
행복한 미래를 창조하기 위해 1994년에 설립됐습니다.

특히 기업의 사회적 책임을 강조하는 파라다이스 그룹의 이념과
故 우경(宇耕) 전락원(田樂園) 회장의 인간존중 철학이
고스란히 담긴 기업 공익 재단입니다.

파라다이스복지재단은 장애인을 비롯한 소외계층의 어려움을 함께 나누고
보다 풍요로운 미래를 디자인하겠다는 한결같은 열정으로
교육, 치료, 문화, 예술 등 다양한 영역에서 노력의 결실을 거둬왔습니다.

무엇보다 장애아동과 청소년 교육 · 치료에 필요한 차별화된 콘텐츠 및 프로그램을
연구 · 개발하는데 역점을 두고, 이들이 독립된 인격체로서 그리고 당당한 사회 구성원으로
성장할 수 있도록 희망의 기운을 불어넣고 있습니다.

뿐만아니라 우리 사회의 장애 관련 학술단체와 현장기관을 지원함으로써
장애에 관한 특성화된 연구를 장려하고, 실질적으로 현장에서 필요한
장애인 중심의 창의적 서비스를 지속적으로 제공하는데 전력을 다하고 있습니다.

머리말

조음치료에서 가장 중요한 것은 습득한 음소를 연습과 훈련을 통해 일반화시키는 것이다.
무엇보다 반복적인 연습으로 조음을 익히는 것이 중요하지만, 자칫 지루해지기 쉽고, 아동의 흥미를 유지시키기 어렵다. 또한 일반화를 위해서도 단순한 반복훈련(drill)이 아닌 다양한 방법을 제시하는 것이 필요하다.
시리즈 첫 번째 권인 이 교재는 39장의 숨은 그림으로 구성되어 있으며, 시각적 자극을 통해 음소별 조음 훈련을 하도록 유도하였다.
각 장은 음소별로 6~8개의 목표단어를 뽑아 배경그림에 숨기고, 아동이 숨은그림찾기에 의해 조음연습을 하도록 하였다.
숨은그림찾기는 아동에게 재미와 함께 성취감도 주고, 동기부여의 기회도 제공하는 놀이활동이다. 이 활동으로 아동이 흥미를 갖고 집중하여 목표단어를 찾아서, 자연스럽게 발화하도록 하였다. 또한, 이들이 즐겁게 활동하는 동안 목표하는 조음을 산출하여, 조음의 일반화를 꾀하도록 하였다.

이 교재는 조음치료가 주목적이지만, 다양한 방법으로 활용도를 높였다.

첫째, 숨은 그림의 왼쪽페이지에는 숨겨진 목표 단어들을 따로 흑백으로 뽑아서 치료사가 여러 방법으로 활용할 수 있도록 하였다.

둘째, 찾아보기나 괄호넣기를 하면서 단어와 문장수준에서의 음소별 조음 연습을 할 수 있도록 하였다.

셋째, 배경그림과 관련된 짧은 이야기를 넣어서 이야기 수준으로 확장하고 활용하도록 하였다.

언어치료시 조음훈련 뿐 아니라 다양한 언어적 자극을 줄 수 있도록 다각적인 응용방법을 제시하였다.

숨은그림찾기

이 책의 활용법

숨은그림찾기 방법

❶ 아동에게 목표단어를 알려주지 않고 숨어 있는 그림이 무엇인지 찾아보게 한다.
아동이 숨은 그림을 찾았을 때 목표단어를 정확히 조음하며 말할 수 있도록 유도한다.

❷ 아동에게 목표단어를 미리 알려주고 찾게 하는 방법도 있다.
예, 양말은 어디에 있나요? 축구공은 어디에 있나요?
치료사가 말하는 단어를 찾도록 하면서 목표단어를 최대한 많이 조음하도록 한다.

❸ 아동이 숨은 그림을 잘 찾지 못할 때에는 '찾아보세요' 등으로 도움을 주거나,
치료사가 적절한 위치 힌트를 줄 수 있다.
예, 모자 위쪽을 자세히 살펴보세요. 자전거 바퀴에는 무엇이 있을까요?

그림카드 활용

**숨은 그림 왼쪽에 있는 흑백의 목표 단어를 미리 복사해 놓는다. 아동과 함께 할 수 있는 활동(*예, 단어카드 자르기, 색칠하기, 종이에 붙이기 등*)을 하면서 자연스럽게 목표단어의 조음을 연습할 수 있다.
만든 카드는 아래와 같이 사용할 수 있다.**

❶ **숨은 그림 찾기 전** 찾기 능력이 부족한 아동의 경우 미리 그림카드를 사용해 목표단어를 훈련한 뒤, 숨은 그림을 찾도록 유도한다.

❷ **숨은 그림 찾은 후** 아동이 찾은 단어가 어디에 있는지 다시 확인하게 하면서, 목표단어를 반복적으로 말하도록 한다. 그림카드를 강화제로 사용할 수 있다.

❸ 그림카드로 조음 연습시

- 카드 뒤집어 놓고 하나씩 뒤집어 가며 정확하게 조음하도록 한다. 이 때 가위바위보를 해서 이긴 사람이 먼저 카드를 뒤집도록 할 수 있다.
- 치료사와 아동이 카드를 나누어 가지고, 서로 뽑아서 정확히 조음한 사람이 카드를 가져가도록 한다. 오조음의 경우에는 카드를 가져갈 수 없다. 카드를 많이 가진 사람이 이기도록 하며 적절하게 강화제를 사용한다.

- 색종이에 카드를 붙이고 고리에 끼워서 집에서 연습하는 과제로 내줄 수 있다.
- 움직이는 기차에 카드를 끼워서 정차하는 역마다 아동이 목표단어를 조음할 수 있도록 할 수 있다.

④ 과제기록지(work sheet) 활용시 조음연습공책을 만들어 한쪽에는 그림카드를 붙이고, 다른 쪽에는 부록에 있는 과제기록지를 복사해서 붙인다. 목표 단어를 과제기록지에 적고, 각 단어 당 10번씩 연습하도록 한다. 정조음일 경우 O, 오조음일 경우 X를 적거나, 예쁜 스티커를 사용해 아동의 참여도를 높인다. 정조음한 개수를 세어서 10을 곱하게 되면, 정조음 비율(%)을 구할 수 있다.
과제기록지는 아동이 집에서 하는 과제(work)로 사용하면 효과적이다.

다양한 활용법

① 찾아보세요 (단어 수준)

무엇이 숨어있는지 물어보는 치료사의 질문에 대답하는 형식으로 목표단어를 말하도록 한다.
숨은 그림 위치에 대한 힌트
(***예, 구름에 숨겨진 것을 찾아보세요***)를 줌으로써 아동이 목표단어를 쉽게 찾도록 할 수 있다. 혹은 범주어
(***예, 음식을 찾아보세요. 곤충을 찾아보세요***)별로 숨은그림을 찾고 구분할 수 있도록 하여 활용도를 높였다.

② 괄호넣기 (문장 수준)

숨은그림을 찾고 괄호를 채워 문장으로 말할 수 있도록 한다. 반복적인 문장 연습을 통해 이어지는 말의 조음 일반화를 꾀한다.

③ 짧은 이야기 (단어, 문장, 이야기 수준)

아동이 흥미를 갖고 숨은 그림을 찾을 수 있도록 배경그림에 대한 짧은 이야기를 활용할 수 있다.
그림카드에 있지 않은 단어를 다양하게 사용하기 때문에 목표음소의 확장과 일반화에 도움이 된다.
이 활용법은 우선 이야기를 한 문장씩 따라 읽도록 하고, 목표음소를 정확하게 조음할 수 있도록 한다.
이야기에 대한 질문이 제시되어 있는 경우, 아동이 이야기를 이해하고 질문에 대하여 적절히 대답하도록 한다.
이때의 질문과 답도 목표음소가 들어간 단어나 문장으로 유도하며 자연스러운 상황에서의 일반화를 꾀한다.
또한, 가능한 경우에는 아동이 이야기를 다시 말하도록 하며, 목표음소가 들어간 단어나 문장을 사용하도록 돕는다.

숨은그림찾기

음소별 낱말

목차

음소별 숨은 그림 찾기

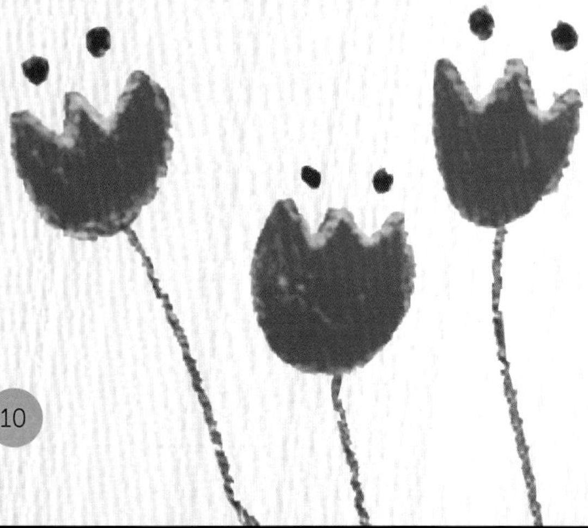

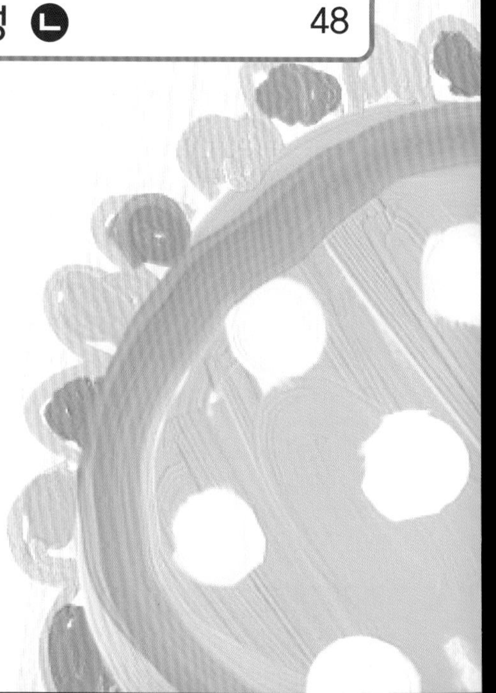

음소별 조음 연습 시리즈 1

숨은그림찾기

 붓	 버섯	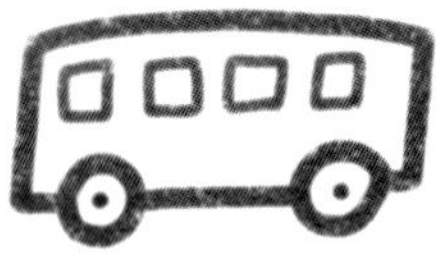 버스	 베개
 부채	 반지	 방패	 비행기

괄호넣기

칠판에는 (　　　　　), (　　　　　), (　　　　　) 가 있어요.

말 선생님 옷에는 (　　　　　) 가 있어요.

의자에는 (　　　　　), (　　　　　) 가 있어요.

1 2 3 4 5
6 7 8 9 10

어중초성 ㅂ

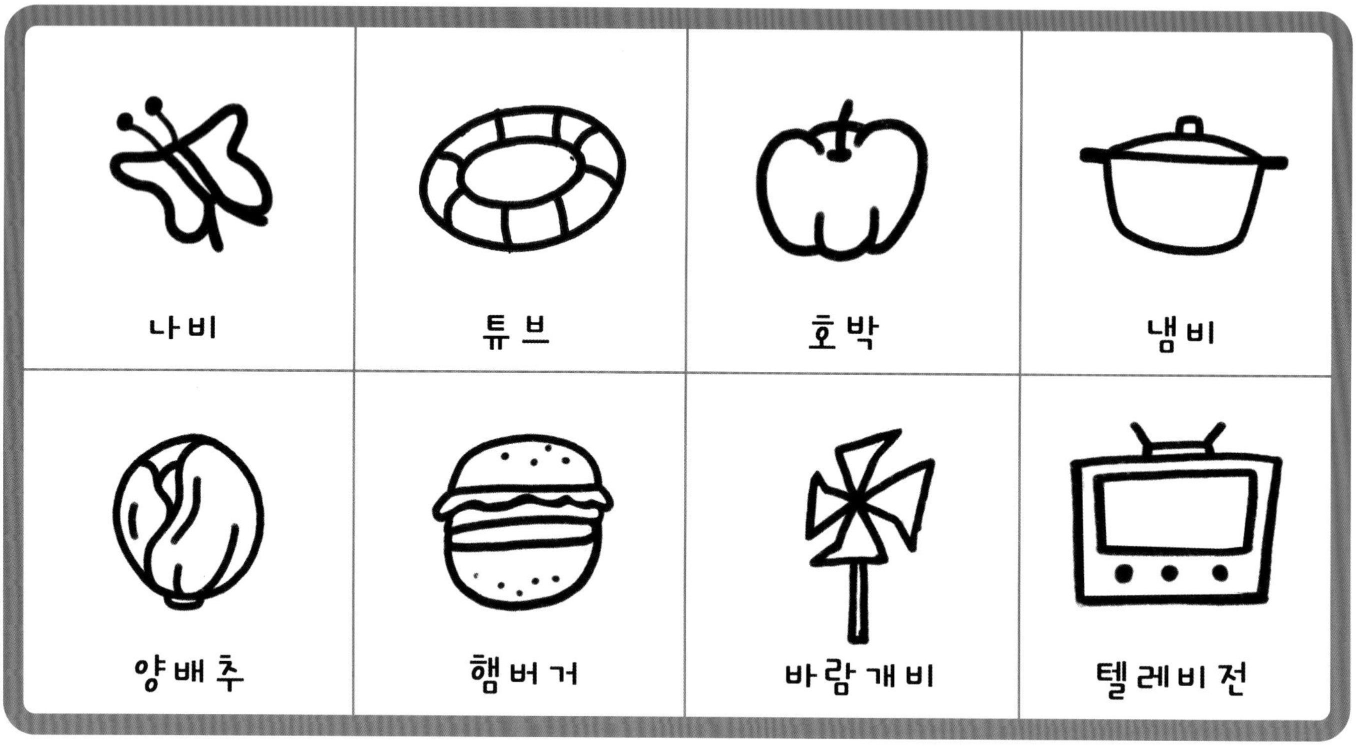

찾아보세요

은별이는 화장놀이를 하는 걸 좋아해요.
은별이는 엄마 옷과 신발을 옷장에서 꺼냈어요.

1. 옷장에 숨겨진 것은 무엇인가요?
2. 은별이 원피스에 숨겨진 것은 무엇인가요?
3. 머리에는 예쁜 리본을 묶었어요. 머리에 숨겨진 것은 무엇인가요?
4. 은별이는 거울을 바라보고 있어요. 거울에 숨겨진 것은 무엇인가요?
5. 화장대에 숨겨진 것은 무엇인가요?

종성 ㅂ

밥	삽	컵	톱

장갑	케첩	튤립	단풍잎

괄호넣기

기린 머리에는 (　　　　　)이 있어요.

토끼 앞 모래주머니에는 (　　　　　)이 있어요.

돼지의 손에는 (　　　　　)이 있어요.

기구에는 (　　　　　), (　　　　　), (　　　　　), (　　　　　), (　　　　　)이 있어요.

어두·어중초성 ㅃ

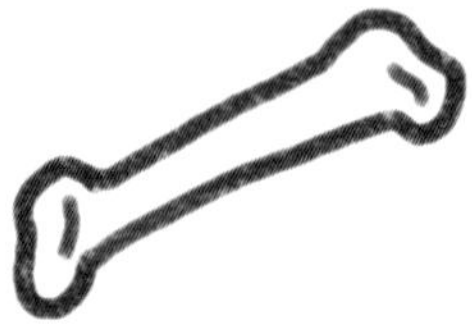 뼈	 빵	 뿌리	 빨대
 김밥	 뻐꾸기	 삐에로	 코뿔소

짧은 이야기

뽀롱뽀롱 마을에서 음악회가 열렸어요.
삐약삐약 병아리 합창단이 노래를 불러요.
지휘는 빼빼 선생님이 맡으셨어요.
빨강머리 삐삐도, 배가 뿔룩 토끼도, 뽀르르 다람쥐도 노래 불러요.
그런데 갑자기 뿌웅~ 다람쥐가 방귀를 뀌었어요.
방귀냄새에 모두들 뿔뿔이 흩어질 것 같아요.

찾아보세요

버섯모양집에 숨겨진 것을 모두 찾아보세요.

어두초성 ㅍ

 파	 포크	 피리	 팔찌
 팝콘	 풍차	 필통	 풍뎅이

짧은 이야기

푸름이는 강아지 퍼피와 슈퍼맨 놀이를 해요.
망토를 펄쳐서 펄럭 펄럭.
푸른 풀밭을 폴짝 폴짝 뛰어다녀요.
푸름이는 슈퍼맨처럼 멋지게 되고 싶어요.

찾아보세요

1. 푸름이 옷과 망토에 숨겨진 것은 무엇인가요?
2. 퍼피의 망토에 숨겨진 것은 무엇인가요?
3. 풀밭과 벽에 숨겨진 것은 무엇인가요?

어중초성 ㅍ

	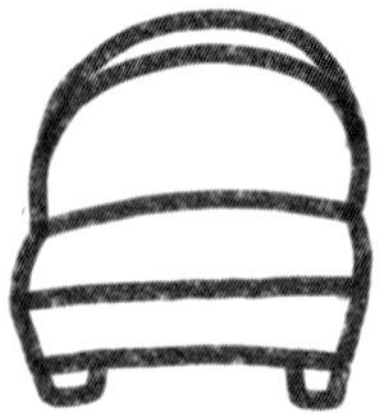		
대 포	소 파	우 표	램 프

나 팔	슬 리 퍼	이 름 표	파 인 애 플

짧은 이야기

대풍이네 가족이 소풍을 왔어요.
푸른 풀밭에 돗자리를 펴고 앉았어요.
엄마와 대풍이는 편하게 앉아 책을 펴요.
아빠는 뒤편에서 아기 퐁퐁이를 안아줘요.
대풍이네 가족의 평화로운 소풍날이에요.

1. 대풍이네는 어디에 돗자리를 폈나요?
2. 아기의 이름은 무엇인가요?

100
김수민

어두초성 ㅁ

 모자	 만두	 망치	 무지개
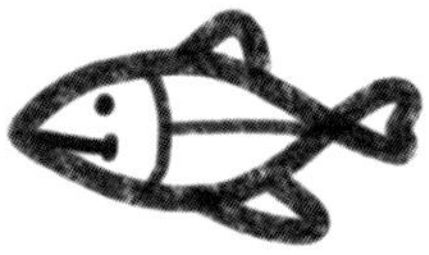 물고기	 목도리	 민들레	 무당벌레

짧은 이야기

맑은 어느 날 민수와 엄마는 빨래를 해요.
큰 물통에 이불을 넣고 밟아요.
물컹물컹 밟는 느낌이 재미있어요.
말끔히 빨고 물기를 털어요.
빨랫줄에 널어 말릴 거에요.
마음까지 깨끗해지는 것 같아요.

찾아보세요

1. 물통에 숨겨진 것을 모두 찾아보세요.
2. 빨래와 줄에 숨겨진 것을 찾아보세요.

어중초성 ㅁ

 나무	 도마	 선물	 양말
 피망	 토마토	 고구마	 콩나물

찾아보세요

엄마와 정민이는 물만두를 만들어요.
우리밀 밀가루로 반죽을 해요.
정민이 얼굴에 밀가루가 묻었어요.
머리카락과 옷소매에 묻지 않게 조심해요.
물만두를 만들어서 이모에게 선물할 거에요.

1. 엄마와 정민이는 무엇을 만들고 있나요?
2. 누구에게 선물로 드릴 건가요?

 감	 김	 밤	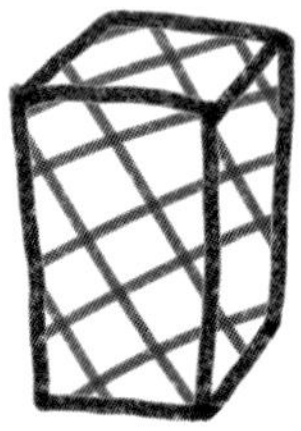 햄
 구름	 솜사탕	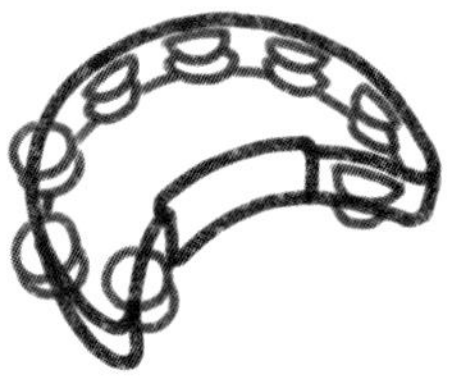 탬버린	 햄버거

찾아보세요

1. 코끼리가 들고 있는 것은 무엇인가요?
2. 원숭이에게 숨겨진 것은 무엇인가요?
3. 병아리가 들고 있는 것은 무엇인가요?
4. 소녀에게 숨겨진 것을 모두 찾아보세요.

어두초성 ㄷ

 달	 돼지	 당근	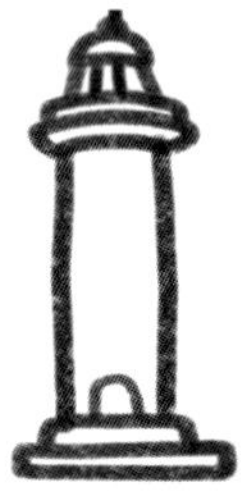 등대
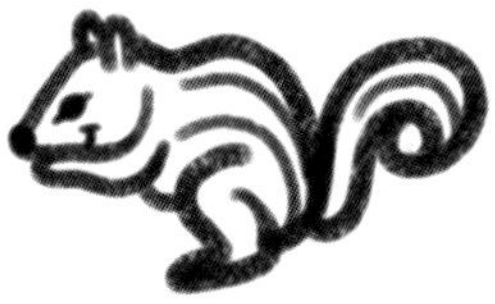 다람쥐	 다리미	 도토리	 대나무

찾아보세요

달이와 두리와 담이는 미술관에 왔어요.
달이는 머리띠를 하고, 두리는 하늘색 원피스를 입었어요.
담이는 초록색 구두를 신었어요.

1. 달이 팔에 숨겨진 것은 무엇인가요?
2. 달이 치마에 숨겨진 것은 무엇인가요?
3. 담이 팔과 치마 옆에 숨겨진 것은 무엇인가요?
4. 전시 그림에 숨겨진 것은 각각 무엇인가요?

어중초성 ㄷ

숨은그림찾기

			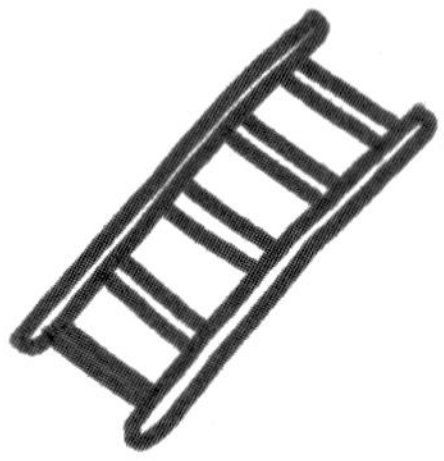
구두	등대	침대	사다리

핫도그	신호등	무당벌레	샌드위치

짧은 이야기

포동포동 순돌이는 도담마트에 왔어요.
만두와 순대를 사러 왔어요.
호두빵과 포도쥬스도 사야 해요.
엄마가 고등어도 사오라고 하셨어요.
순돌이는 맛있는 고등어조림이 기대 되요.
짐이 많아서 배달 아저씨께 배달을 부탁드려요.

1. 순돌이가 온 마트 이름은 무엇인가요?
2. 순돌이가 사야할 것이 많았어요. 무엇인가요?
3. 엄마가 무엇을 해 주실까요?
4. 짐이 많은 순돌이는 어떻게 했나요?

종 성 ㄷ

 낫	 못	 붓	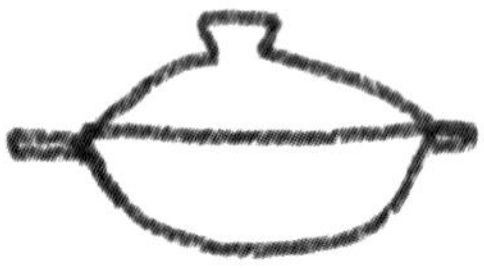 솥
 그릇	 버섯	 씨앗	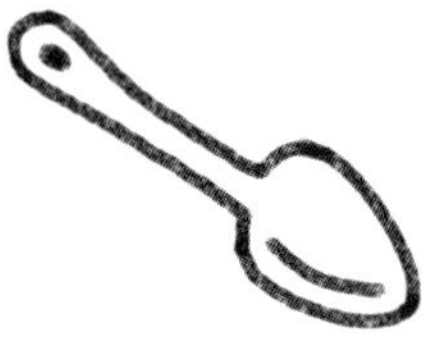 숟가락

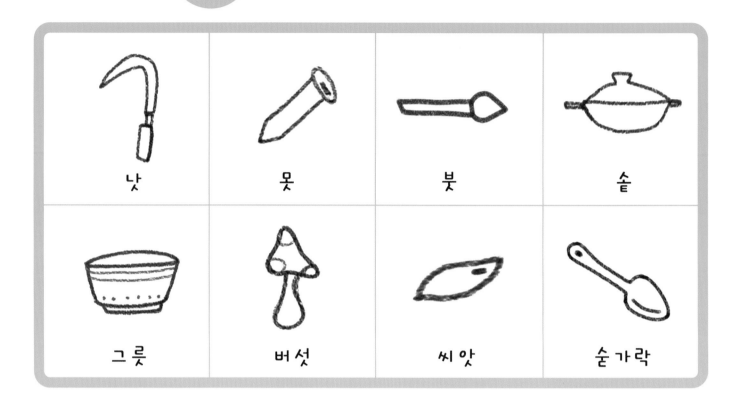

찾아보세요

1. 나뭇잎에 숨겨진 것은 무엇인가요?
2. 피아노에 숨겨진 것은 무엇인가요?
3. 토끼에게 숨겨진 것은 무엇인가요?

어두초성 ㄸ

 떡	 똥	 뚜껑	 딸기
 땅콩	 떡국	 뜨개실	 딱따구리

짧은 이야기

땡땡 시계가 9시를 알려요.
딸기와 강아지 또또가 자는 시간이에요.
딸기와 또또는 따뜻하게 이불을 덮었어요.
침대에서 떨어지지 않으려고 딱 붙어서 자요.

찾아보세요

1. 음식이 많이 숨겨져 있네요. 모두 찾아보세요.
2. 따뜻한 털옷을 뜨기 위해서는 무엇이 필요할까요? 찾아보세요.

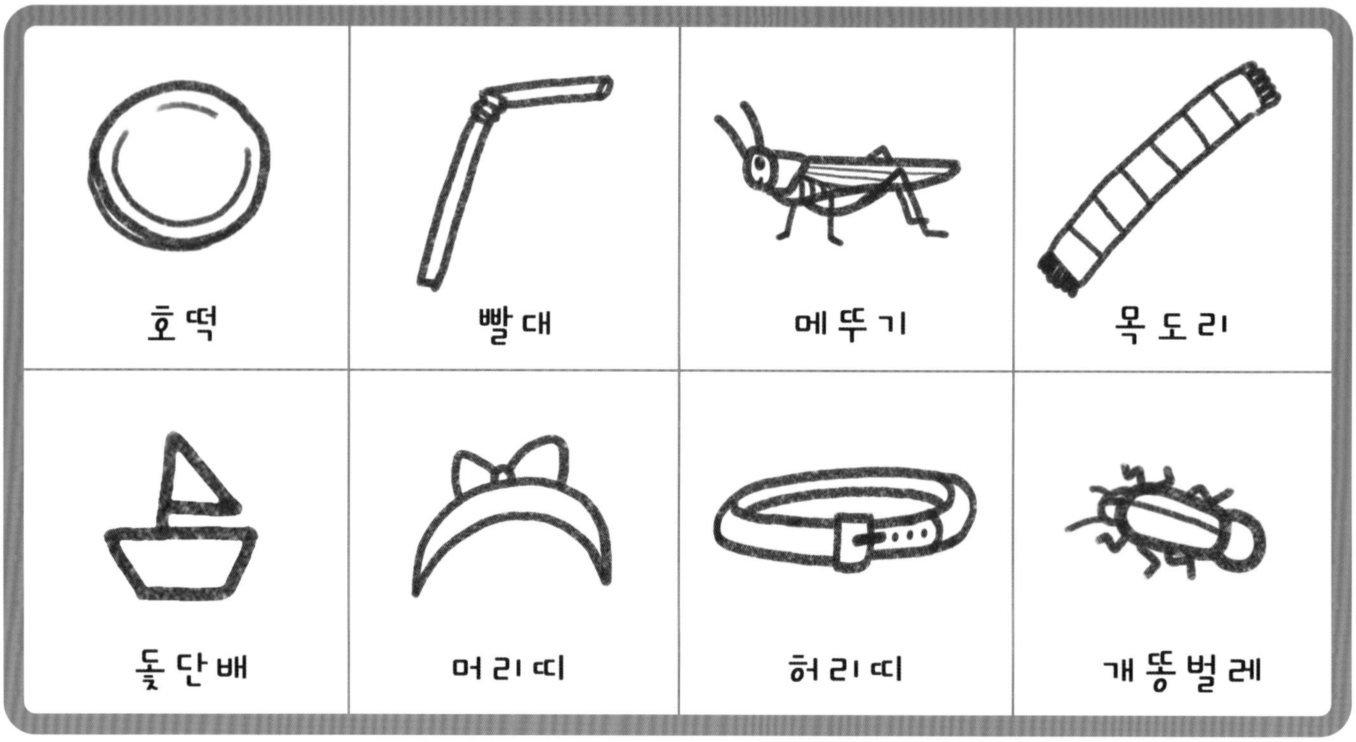

찾아보세요

1. 곤충들이 숨겨져 있네요. 무엇이 있는지 찾아보세요.
2. 추운 날 따뜻하게 목을 감싸주는 것은 어디에 있을까요?

어두초성 ㅌ

 탈	 토끼	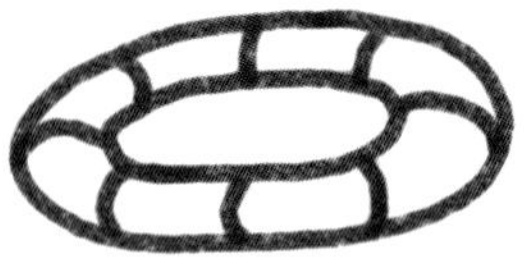 튜브	 트럭
 텐트	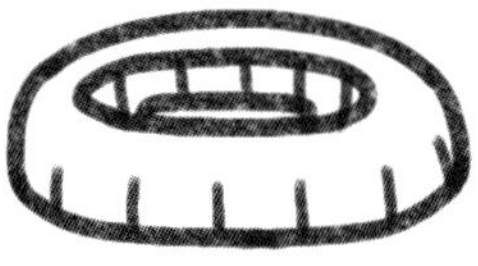 타이어	 태극기	 토마토

찾아보세요

원숭이 토리와 염소 투리, 호랑이 태리는 캠핑을 왔어요.
맛있는 음식을 준비해서 텐트에서 먹을 거에요.

1. 나무에 숨겨진 것은 무엇인가요?
2. 냇가에 숨겨진 것은 무엇인가요?
3. 토리와 투리, 태리에게 각각 숨겨진 것은 무엇인가요?

어중초성 ㅌ

숨은그림찾기

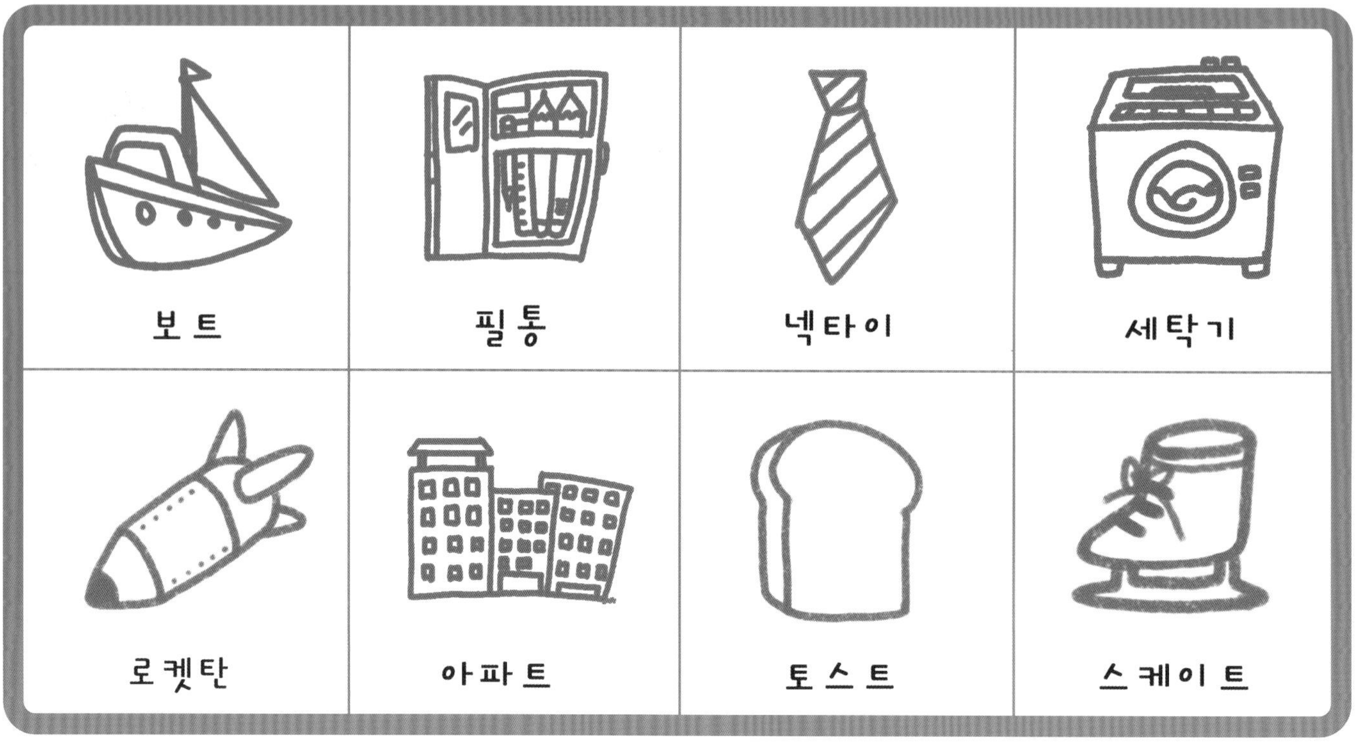

찾아보세요

1. 책 속에 숨겨진 것은 무엇인가요?
2. 베개 밑에 숨겨진 것은 무엇인가요?
3. 머리맡에 숨겨진 것은 무엇인가요?

잠자는 숲속의 공주

어두초성 ㄴ

 나팔	 낙타	 난로	 날개
 낙하산	 냉장고	 농구공	 눈사람

짧은 이야기

눈이 내리는 추운 날씨에요.
남자아이들은 놀이터에서 신나게 놀았어요.
눈사람을 만들고, 눈싸움도 했어요.
지금 남자아이들은 물놀이 해요.
나성이는 비누거품을 만들어요.
나철이는 비누방울 날리기를 해요.
나민이는 노란색 머리를 뾰족뾰족 세워요.
남자아이들은 언제나 재미있게 놀아요.

1. 날씨가 어떤가요?
2. 남자아이들은 어디에서 놀았나요?
3. 무엇을 하고 놀았나요?

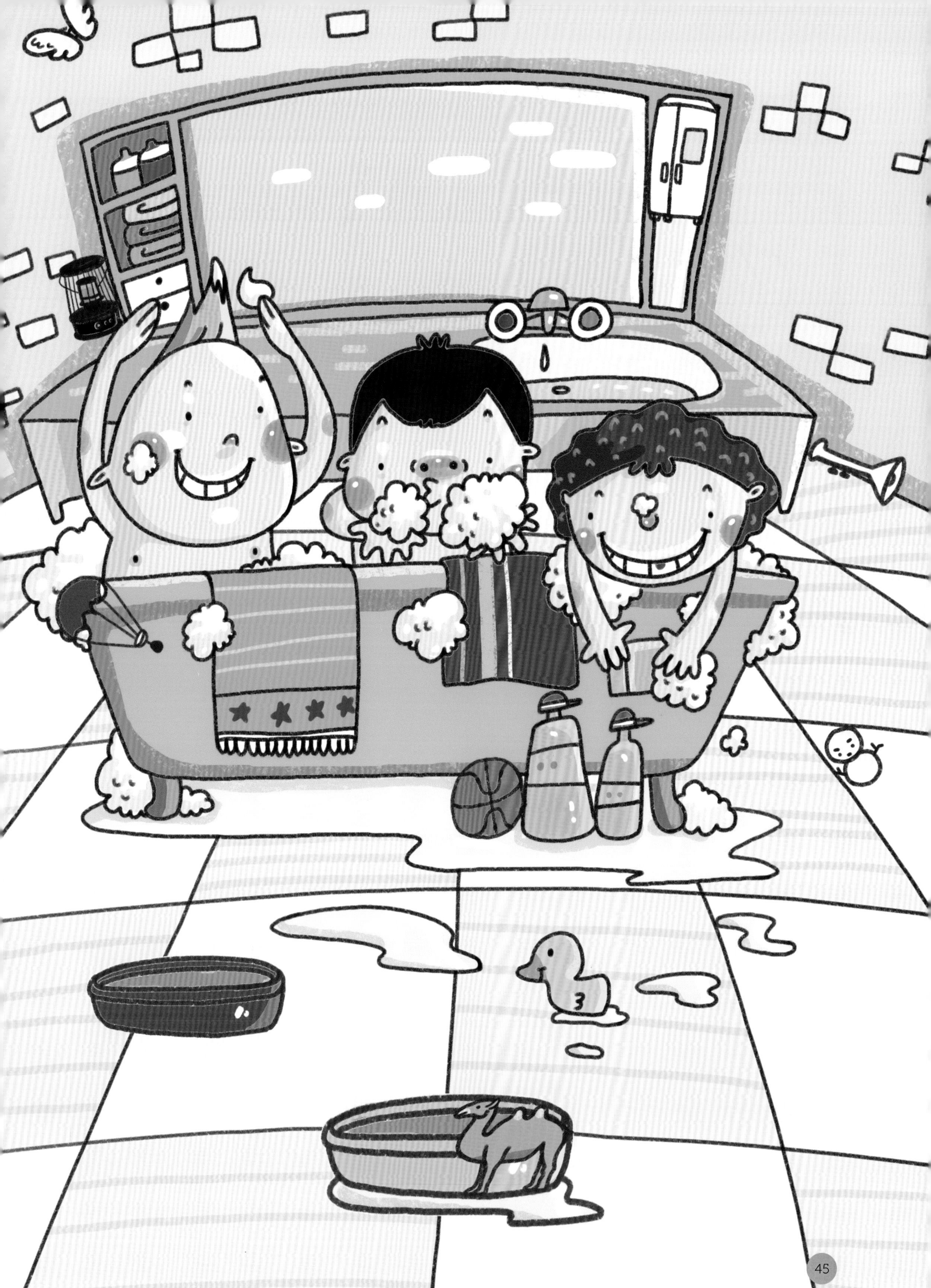

어중초성 ㄴ

 마늘	 바늘	 개나리	 대나무
 바나나	 콩나물	 피아노	 카네이션

찾아보세요

1. 꽃이 숨겨져 있어요. 모두 찾아보세요.
2. 먹을 것이 숨겨져 있어요. 모두 찾아보세요.

종성 ㄴ

숨은그림찾기

손	단추	만두	신발

안경	연필	눈사람	전화기

짧은 이야기

현준이네 가족이 계곡에 왔어요.

온 가족이 함께 낚시를 해요.

시원한 물에 맨발로 들어가니 기분이 좋아요.

아빠가 물고기 한 마리를 잡으셨어요.

신나고 행복한 시간이에요.

현준이는 사진 찍어서 친구 태연이에게 자랑할 거에요.

1. 물에 맨발로 들어가니 어땠나요?
2. 온 가족이 함께 낚시를 해서 현준이는 신나고 행복해요.
   현준이는 무엇을 할 것인가요?

 라켓	 로봇	 리본	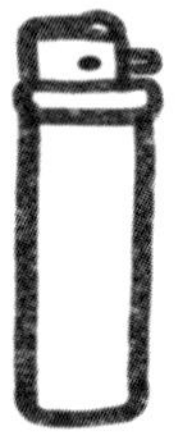 라이터
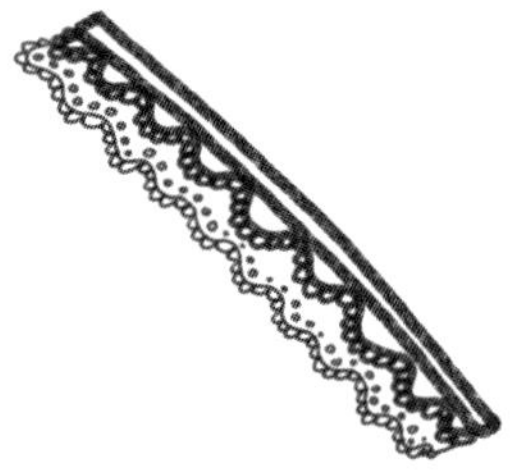 레이스	 로켓	 립스틱	 롤러스케이트

짧은 이야기

록기는 이가 썩어서 라라치과에 왔어요.
록기는 치료를 잘 받아요.
엄마가 로봇 장난감을 사 주신대요.
록기는 럭키마트에 가서 로봇을 고를 거에요.
엄마는 레몬과 라면도 사야 한대요.

1. 록기가 온 치과 이름은 무엇인가요?
2. 엄마는 록기에게 무엇을 사주시기로 했나요?
3. 엄마가 사실 것은 무엇인가요?

어중초성 ㄹ

 기린	 첼로	 개구리	 카메라
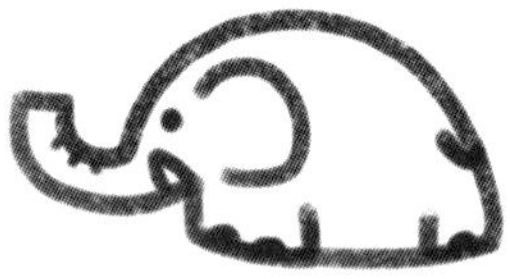 코끼리	 숟가락	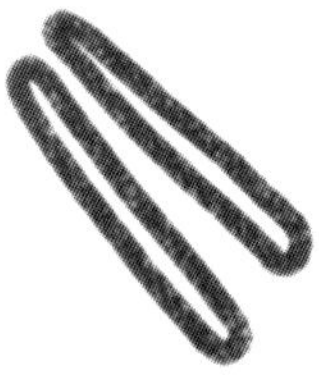 젓가락	 프라이팬

짧은 이야기

오늘은 미리의 생일이에요.
어린이집 친구들이 축하노래를 불러요.
유라는 미리에게 크레파스를 선물해요.
초롱이는 부드러운 곰돌이인형을 선물로 줘요.
보람이는 보라색 머리핀을 선물해요.
여랑이는 부릉부릉 트럭장난감을 선물로 줘요.
미리는 선물을 많이 받아서 행복해요.

1. 미리의 친구들은 어떤 선물을 주었나요?
2. 미리의 생일 축하노래를 불러보세요.

종 성 ㄹ

숨은그림찾기

칼	풀	볼펜	빨대
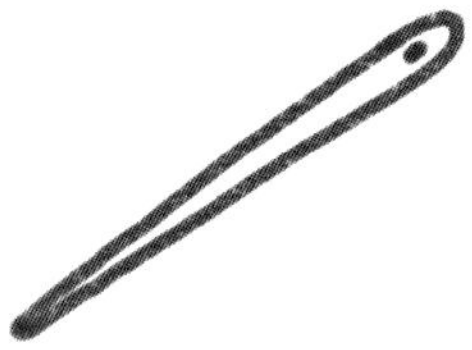			
바늘	연필	이불	촛불

짧은 이야기

별님이와 달님이는 전화놀이를 해요.
종이컵을 색연필로 색칠해서 가위로 잘라요.
실을 달아 전화기를 만들어요.
별님이와 달님이는 전화놀이가 즐거워요.

1. 누가 전화놀이를 하나요?
2. 종이컵은 무엇으로 색칠하나요?
3. 전화기를 만들기 위해 무엇을 달았나요?

어두초성 ㅅ

 소	 사과	 사탕	 수박
 시계	 신문	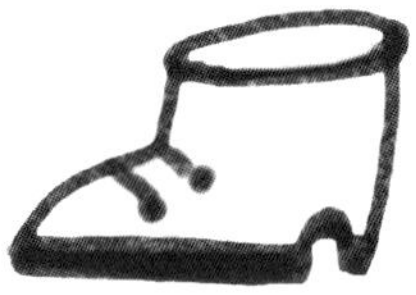 신발	 사다리

짧은 이야기

상민이는 엄마와 손잡고 시장에 가요.
사과와 수박을 사러 시장에 가요.
과일 샐러드를 만들 거에요.
사랑빵집에서 식빵 굽는 냄새가 솔솔 풍겨 와요.
상민이는 식빵을 사고 싶어요.
식빵으로 토스트도 만들 거에요.

1. 상민이는 무엇을 사러 시장에 가나요?
2. 무슨 음식을 만들려고 하나요?

어중초성 ㅅ

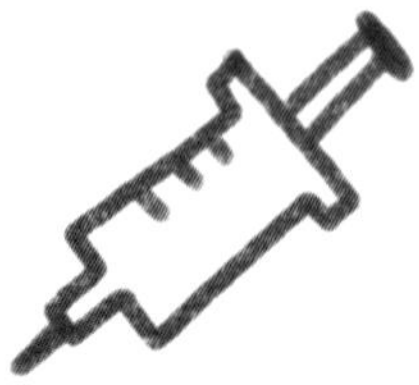 주사	 버선	 사슴	 우산
 소시지	 토스트	 손수건	 옥수수

짧은 이야기

무서운 사자왕이 심한 감기에 걸렸어요.
사슴 의사선생님께서 주사를 놔주셨어요.
주사약 때문에 사자왕이 잠시 낮잠을 자네요.
꼬마생쥐들이 사자왕의 물건들을 몰래 가져가요.
무서운 사자왕에게 들키지 않게 조심해야 해요.

찾아보세요

1. 사자왕 의자에 숨겨진 것은 무엇인가요?
2. 꼬마생쥐들이 가지고 가는 것은 무엇인가요?

어두·어중초성 ㅆ

버스

새싹

열쇠

칫솔

소시지

쓰레기통

이쑤시개

코스모스

짧은 이야기

씽씽이와 쏭쏭이가 선물 상자를 열었어요.

“써프라이즈!”

안경 쓴 써니가 쑤욱 나왔어요.

씽씽이와 쏭쏭이는 깜짝 놀랐어요.

써프라이즈 놀이는 정말 재미있어요.

찾아보세요

1. 씽씽이와 쏭쏭이에게 숨겨진 것은 각각 무엇인가요?
2. 써니에게 숨겨진 것은 무엇인가요?

어두초성 ㅈ

종

제비

장화

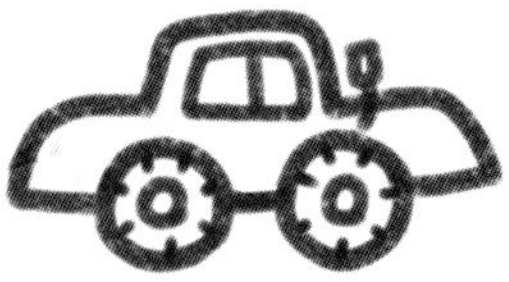
자동차

지팡이

잠수함

장미꽃

줄넘기

짧은 이야기

재민이와 재준이는 수족관에 놀러왔어요.
잠수부 아저씨가 잠수를 하네요.
재민이는 아저씨의 잠수복이 좋아요.
재준이는 아저씨의 주황색 머리가 멋져 보여요.
잠수부 아저씨가 잠시 멈췄어요.
재민이와 재준이에게 손을 흔들어요.
재민이와 재준이도 함께 손을 흔들어요.
이 모습을 멋지게 사진 찍어요.

찾아보세요

수족관 속에 숨겨진 것을 모두 찾아보세요.

어중초성 ㅈ

숨은그림찾기

 과자	 감자	 도장	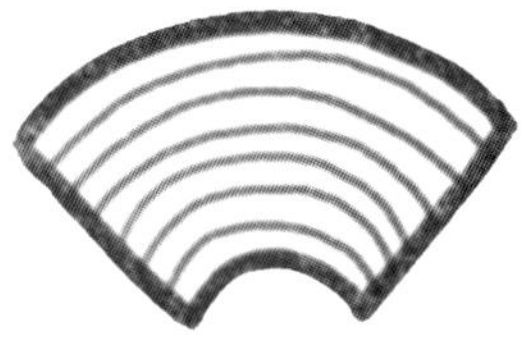 무지개
 냉장고	 오징어	 다람쥐	 선인장

짧은 이야기

민준이는 강아지 종종이와 우주여행을 해요.
우주선을 타고 제제행성에 도착했어요.
우주복을 입고 우주모자를 써요.
우주장갑을 끼고 우주장화를 신어요.
민준이와 종종이는 우주선 밖으로 나왔어요.
제제행성의 우주괴물들이 마중 나왔네요.
재미있고 즐거운 우주여행이에요.

1. 민준이와 종종이는 어느 곳으로 우주여행을 갔나요?
2. 우주선 밖으로 나오기 위해 어떻게 했나요?

CHIP

어두·어중초성 ㅉ

 찌개	 짬뽕	 찐빵
 짜장면	 팔찌	 골짜기

짧은 이야기

짱아네 가족이 사진을 찍어요.
왼쪽에는 남자들이 오른쪽에는 여자들이 앉았어요.
짜잔, 가운데에는 귀염둥이 짱아가 앉았어요.
짱아는 고개를 쭈욱 빼고 사진 찍을 준비를 해요.
멋진 가족사진을 찍을 것 같아요.

찾아보세요

음식이 많이 숨겨져 있네요. 모두 찾아보세요.

 초	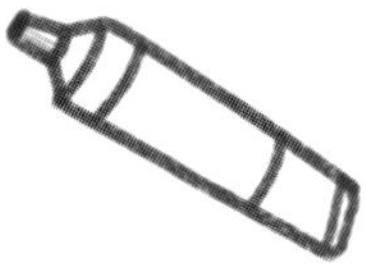 치약	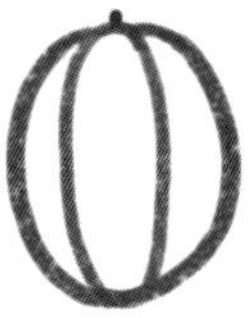 참외	 침대
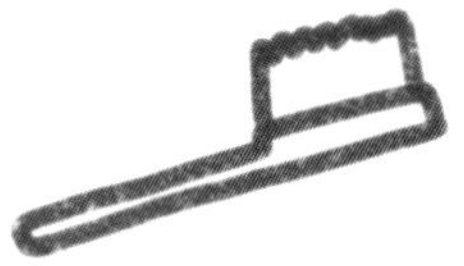 칫솔	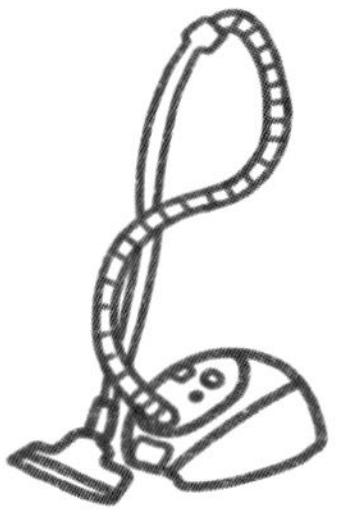 청소기	 초콜릿	 축구공

짧은 이야기

출발~! 초은이가 자전거 타기를 배워요.
초은이는 초록색 치마를 입었어요.
자전거를 타니 찰랑찰랑 머리가 날려요.
친한 친구 창수가 자전거를 밀어주네요.
처음이라 천천히 가지만, 차차 빨라질 거에요.

찾아보세요

1. 자전거에 숨겨진 것을 모두 찾아보세요.
2. 나무에 숨겨진 것을 모두 찾아보세요.

어중초성 ㅊ

		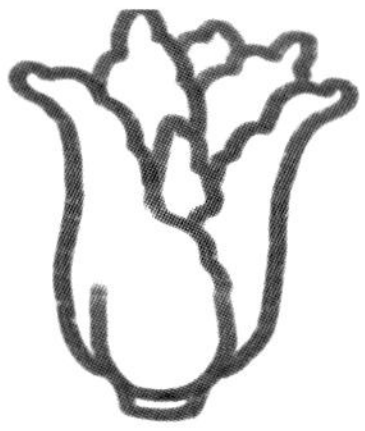	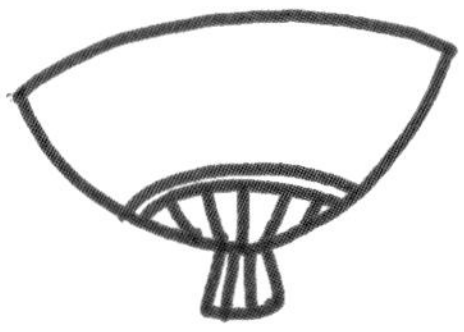
고추	기차	배추	부채

공책	경찰차	올챙이	우체통

짧은 이야기

은채는 전철을 타고 놀이공원에 왔어요.
지금은 꼬마기차를 타려고 기다려요.

1. 은채의 풍선에 숨겨진 것은 무엇인가요?
2. 아빠 옷에 숨겨진 것은 무엇인가요?
3. 꽃밭에 숨겨진 것은 무엇인가요?

어두초성 ㄱ

가방	거미	거울	고래
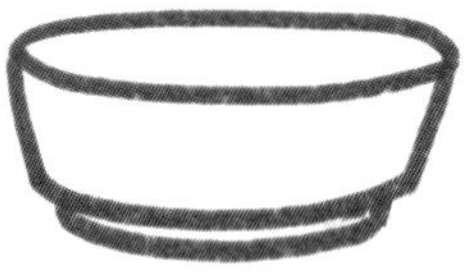			
그릇	갈치	김밥	고양이

짧은 이야기

강찬이네 가족은 경포대 바닷가에 왔어요.
갈매기와 구름이 멋진 바닷가에요.
작년 가을에 와서 즐거웠던 기억이 나요.
개구쟁이 강찬이는 물가에서 공놀이를 해요.
가족과 함께 있어서 강찬이는 행복해요.

찾아보세요

1. 강찬이 튜브와 공에 숨겨진 것은 무엇인가요?
2. 파라솔 위에 기어다니는 것은 무엇인가요?

어중초성 ㄱ

숨은그림찾기

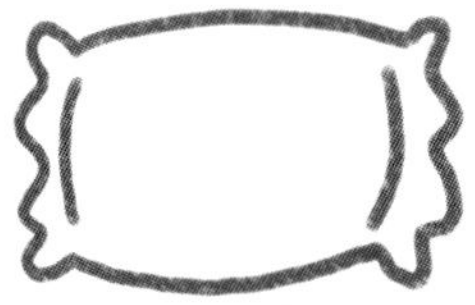 베개	 수건	 안경	 개구리
 고구마	 햄버거	 바람개비	 해바라기

짧은 이야기

선경이는 노래부르기를 좋아해요.

선경이의 꿈은 댄스가수가 되는 거에요.

학교에서도 가곡부르기 대회에서 일등을 했어요.

춤추기와 노래부르기 연습을 많이 할 거에요.

선경이는 멋진 댄스가수가 되고 싶어요.

1. 선경이의 꿈은 무엇인가요?
2. 댄스가수가 되기 위해 어떻게 할 건가요?

종성 ㄱ

책

식빵

책장

수박

치약

트럭

호박

탁구공

찾아보세요

1. 놀이기구에 숨겨진 것이 많이 있네요. 모두 찾아보세요.
2. 미끄럼 타는 어린이 머리에는 무엇이 있나요?
3. 모래밭에 숨겨진 것을 모두 찾아보세요.

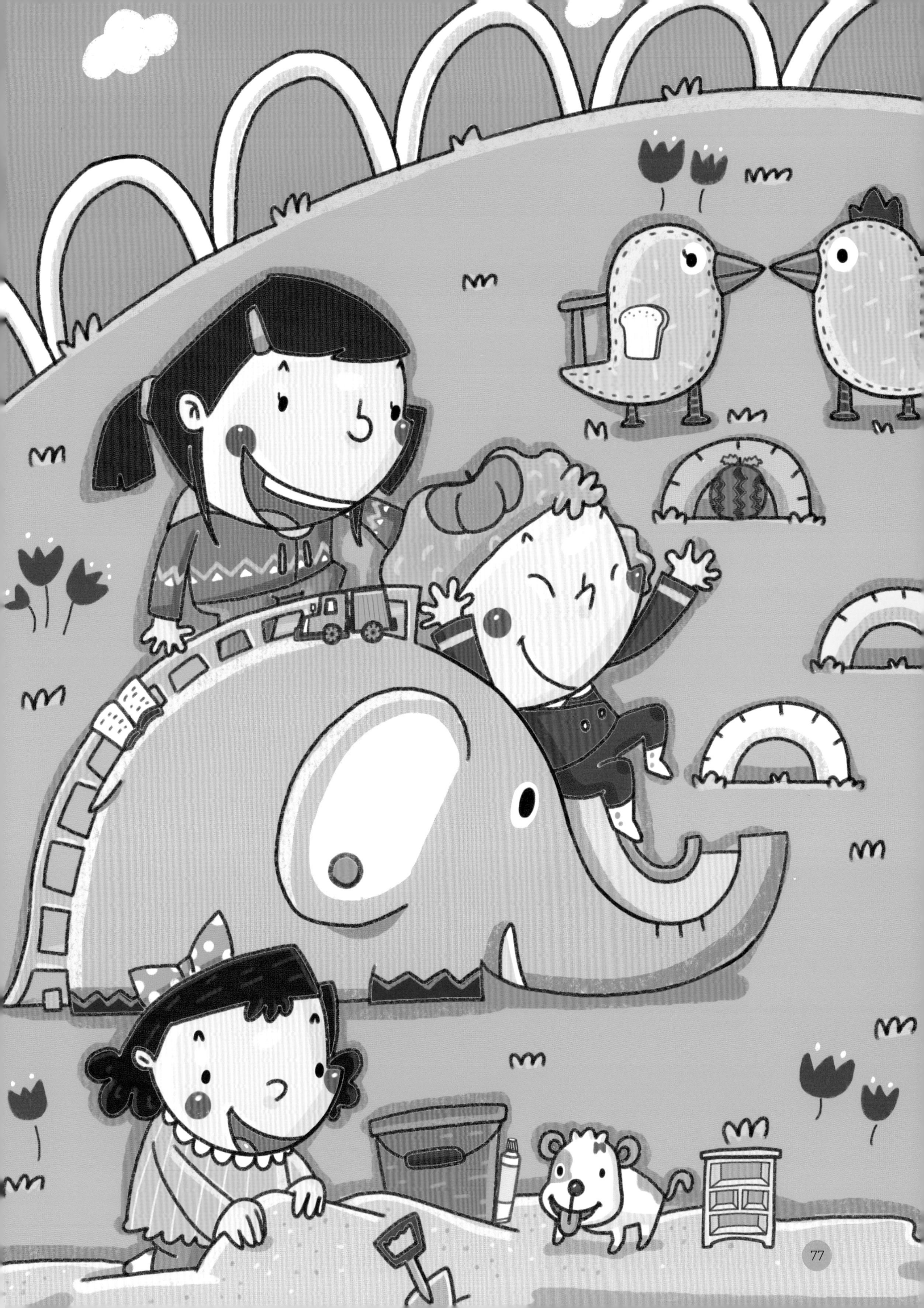

 깻잎	 꿀벌	 깔때기	 깡통
 고깔	 책가방	 두꺼비	 장미꽃

짧은 이야기

꼬마는 아기의 오빠에요. 꼬마는 동생이 깜찍하고 귀여워요.

꼼지락거리는 손가락이 너무 신기해요.

꼬마는 동생과 잘 놀아줄 거에요.

깡충깡충 토끼 흉내도 내 줄 거에요.

꼬마는 동생이 빨리 크면 좋겠어요.

찾아보세요

1. 모빌에 숨겨진 것을 찾아보세요.
2. 아기 침대에는 숨겨진 것은 무엇인가요?
3. 할아버지 옷에 숨겨진 것은 무엇인가요?

어두초성 ㅋ

 카드	 케첩	 쿠키	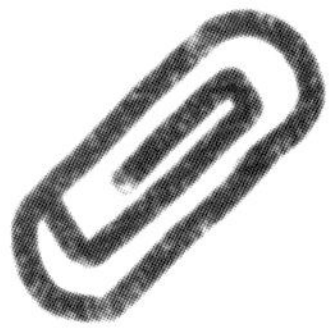 클립
 카메라	 케이크	 코뿔소	 카네이션

짧은 이야기

콩이랑 쿵이는 고소한 팝콘이 좋아요.
케이크보다 팝콘이 좋아요.
코코아보다 팝콘이 좋아요.
콩이랑 쿵이는 큰 팝콘이 좋아요.
코끼리보다 더 큰 팝콘이 있으면 좋겠어요.

1. 콩이와 쿵이는 무엇을 좋아하나요?
2. 어떤 음식보다 더 좋아하나요?
3. 어떤 동물보다 더 큰 팝콘이 있으면 좋겠다고 하나요?

어중초성 ㅋ

	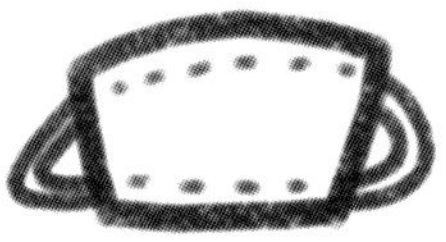		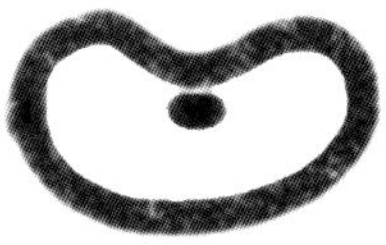
바퀴	마스크	마이크	강낭콩

스케이트	하모니카	땅콩버터	아이스크림

찾아보세요

밍키는 닭 치키와 함께 빗자루를 타고 캄캄한 밤하늘을 날아다녀요.

1. 밍키의 빗자루에 숨겨진 것은 무엇인가요?
2. 마을에 숨겨진 것은 무엇인가요?

종 성 ㅇ

종	빵	깡 통	팽 이
	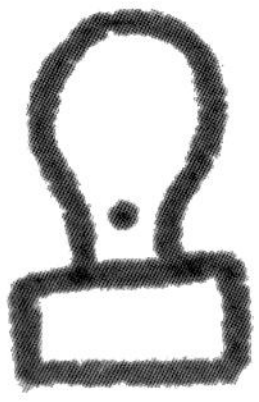		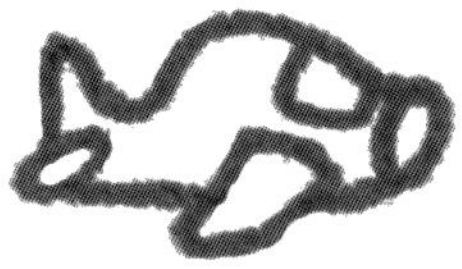
가 방	도 장	농 구 공	비 행 기

짧은 이야기

밍밍이와 빙빙이는 모래장난을 해요.
영차영차 모래성을 쌓아요.
무서운 용이 사는 성을 만들어요.
모래성을 완성하면 공놀이를 할 거에요.
밍밍이가 뻥~ 하고 공을 차요.
빙빙이가 공을 받아요.
밍밍이와 빙빙이는 항상 즐겁고 행복해요.

1. 밍밍이와 빙빙이는 지금 무엇을 하나요?
2. 모래성을 완성하면 무엇을 할 건가요?
3. 누가 공을 차고, 누가 공을 받나요?

어두초성 ㅎ

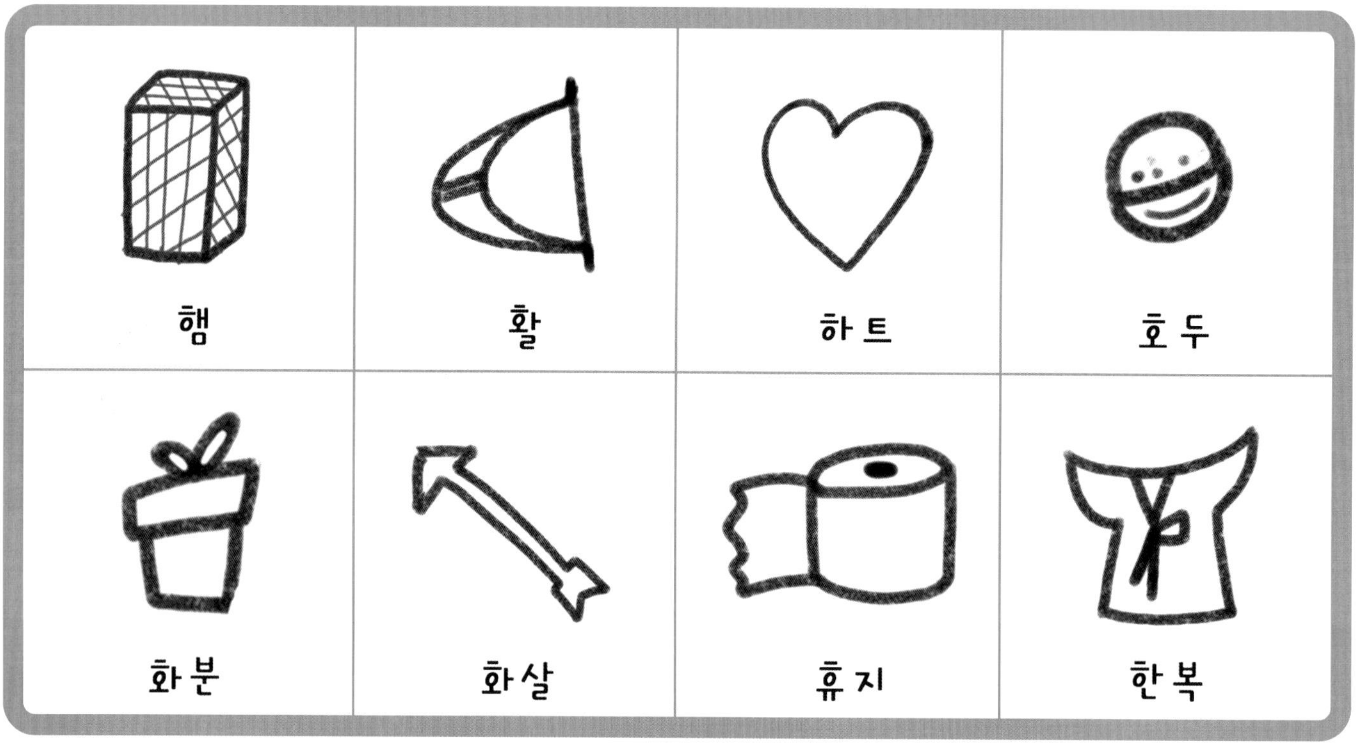

찾아보세요

코끼리 하하와 토끼 호호, 원숭이 후후와 참새 히히는 즐거운 시간을 보내요.
하하에게 숨겨진 것이 많이 있네요. 모두 찾아보세요(다리, 팔, 귀, 머리).

Z
Z

어중초성 ㅎ

 산호	 인형	 장화	 낙하산
 은행잎	 지하철	 잠수함	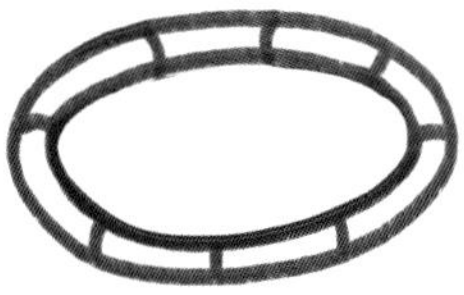 훌라후프

찾아보세요

소희와 고양이 다홍이는 화단에 물을 주고 있어요.

1. 소희의 우비에 숨겨진 것은 무엇인가요?
2. 물뿌리개에 숨겨진 것은 무엇인가요?
3. 화단에 숨겨진 것은 무엇인가요?
4. 소희와 다홍이 뒤쪽으로 무엇이 보이나요?

부록

숨은 그림 답지

어두초성 ㅂ (13쪽)

어중초성 ㅂ (15쪽)

종성 ㅂ (17쪽)

어두·어중초성 ㅃ (19쪽)

어두초성 ㅍ (21쪽)

어중초성 ㅍ (23쪽)

어두초성 ㅁ (25쪽)

어중초성 ㅁ (27쪽)

종성 ㅁ (29쪽)

어두초성 ㄷ (31쪽)

어중초성 ㄷ (33쪽)

종성 ㄷ (35쪽)

어두초성 ㄸ (37쪽)

어중초성 ㄸ (39쪽)

어두초성 ㅌ (41쪽)

어중초성 ㅌ (43쪽)

어두초성 ㄴ (45쪽)

어중초성 ㄴ (47쪽)

종성 ㄴ (49쪽)

어두초성 ㄹ (51쪽)

어중초성 ㄹ (53쪽)

종성 ㄹ (55쪽)

어두초성 ㅅ (57쪽)

부록

어중초성 ㅅ (59쪽)

어두 · 어중초성 ㅆ (61쪽)

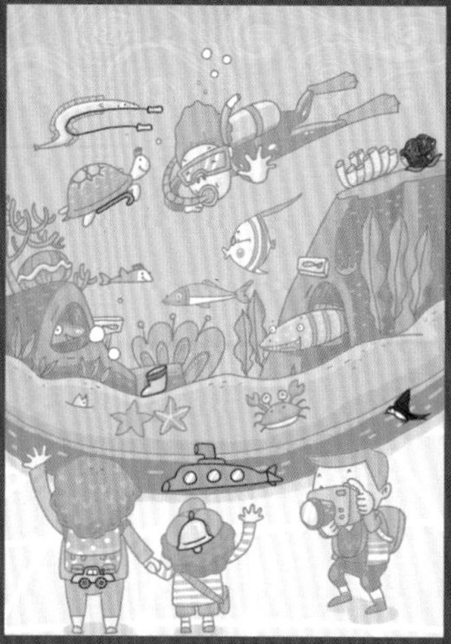

어두초성 ㅈ (63쪽)

어중초성 ㅈ (65쪽)

어두·어중초성 ㅉ (67쪽)

어두초성 ㅊ (69쪽)

어중초성 ㅊ (71쪽)

어두초성 ㄱ (73쪽)

어중초성 ㄱ (75쪽)

종성 ㄱ (77쪽)

어두·어중초성 ㄲ (79쪽)

어두초성 ㅋ (81쪽)